颜真卿颜勤礼碑楷书集字古诗

名帖集字丛书

◎陆有珠 廖幸玲 编

广西美术出版社

图书在版编目（CIP）数据

颜真卿颜勤礼碑楷书集字古诗 / 陆有珠，廖幸玲编著 . —
南宁：广西美术出版社，2017.5（2022.5 重印）
（名帖集字丛书）
ISBN 978-7-5494-1762-9

Ⅰ . ①颜…　Ⅱ . ①陆…　Ⅲ . ①楷书—碑帖—中国—唐代
Ⅳ . ① J292.24

中国版本图书馆 CIP 数据核字（2017）第 122586 号

名帖集字丛书
MINGTIE JIZI CONGSHU

颜真卿颜勤礼碑楷书集字古诗
YAN ZHENQING YAN QINLI BEI KAISHU JIZI GUSHI

编　　者　陆有珠　廖幸玲
编　　委　韦　灯　吴一鸣　谢森燕
　　　　　陆　艺　吴　霖
策　　划　潘海清　黄丽伟
出 版 人　陈　明
责任编辑　潘海清
助理编辑　黄丽丽
责任校对　张瑞瑶
审　　读　陈小英
装帧设计　陈　欢
排版制作　李　冰
出版发行　广西美术出版社有限公司
地　　址　广西南宁市望园路 9 号
邮　　编　530023
电　　话　0771-5701356　5701355（传真）
印　　刷　广西壮族自治区地质印刷厂
开　　本　787 mm × 1092 mm　1/12
印　　张　6 4/12
版　　次　2017 年 7 月第 1 版
印　　次　2022 年 5 月第 5 次印刷
书　　号　ISBN 978-7-5494-1762-9
定　　价　28.00 元

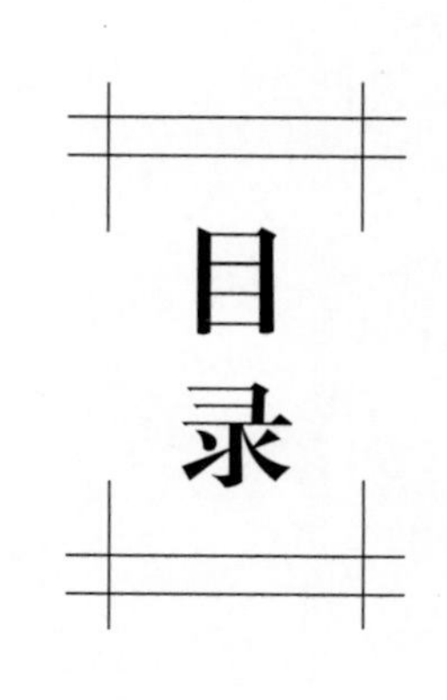

目录

集字创作

一、什么是集字

集字就是根据自己所要书写的内容，有目的地收集碑帖的范字，对原碑帖中无法集选的字，根据相关偏旁部首和相同风格进行组合创作，使之与整幅作品统一和谐，再根据已确定的章法创作出完整的书法作品。例如，朋友搬新家你从字帖里集出“乔迁之喜”四个字，然后按书法章法写给他表示祝贺。

临摹字帖的目的是为了创作，临摹是量的积累，创作是质的飞跃。从临帖到出帖需要比较长的学习和积累，而集字练习便是临帖到出帖之间的一座桥梁。

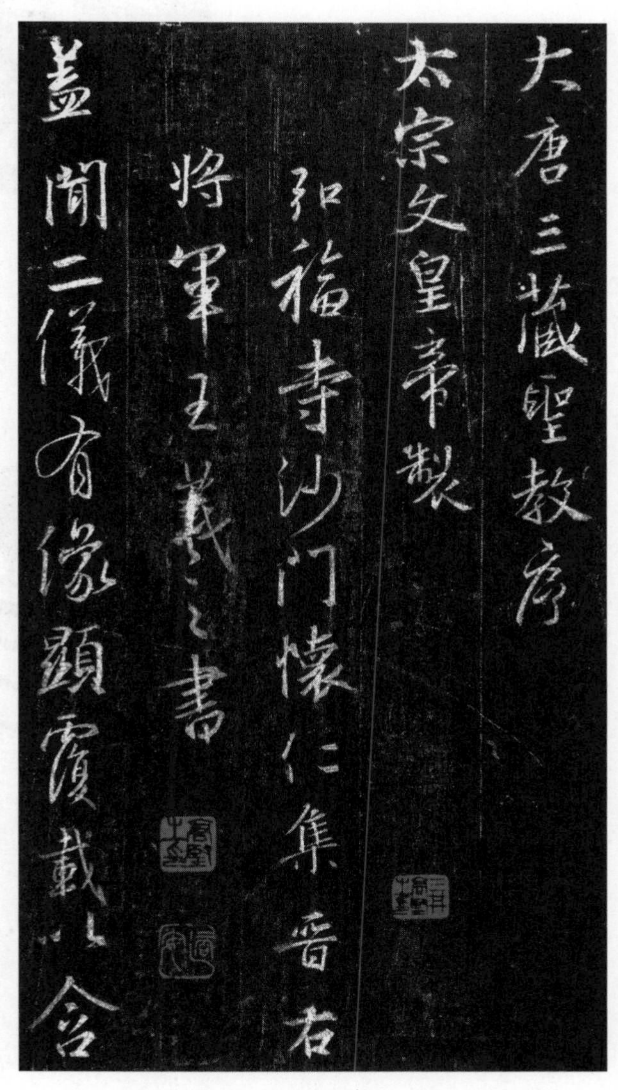

古代著名集字作品《怀仁集王羲之圣教序》

二、集字内容与对象

集字创作时先选定集字内容，可从原碑帖直接集现成的词句作为创作内容，或者另外选择内容，如集字对联、集字词句或集字文章。

集字对象可以集一个碑帖的字；集一个书家的字，包括他的所有碑帖；根据风格的相同或相近集几个人的字或集几个碑帖的字；再有就是根据结构规律或书体风格创作新的字使作品统一。

三、集字方法

1. 所选内容在一个碑帖中都有，并且是连续的。

如集“积德”两个字，在《颜勤礼碑》中这两个字都有，临摹出来，落款成作品。

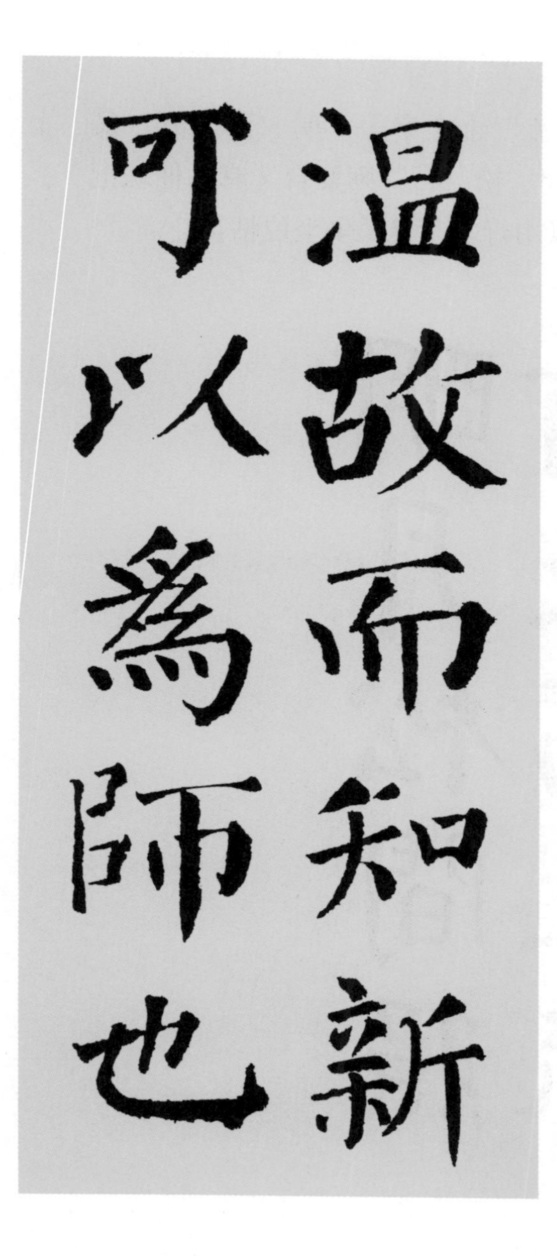

2. 在一个碑帖中集部首点画成字。

如集“温故而知新，可以为师也”，其中“知”、“新”和“可”帖里没有，需要集出相关偏旁部首的字，然后进行组合创作。

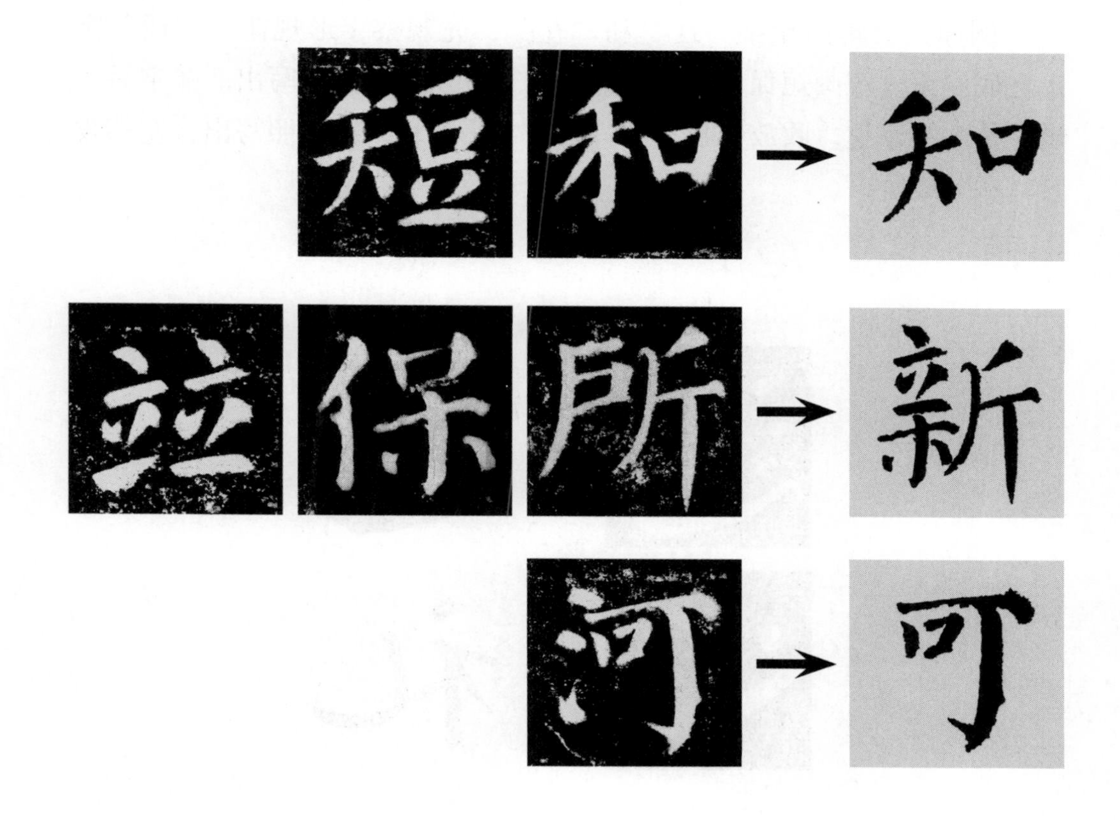

3. 在多个碑帖中集字成作品。

如“明月松间照，清泉石上流”十个字，“明、月、清、泉、上流”是集《颜勤礼碑》的字，“间、松、石”则集自《麻姑仙坛记》，“照”集自《多宝塔》，落款可以用行书，集《争坐位帖》。

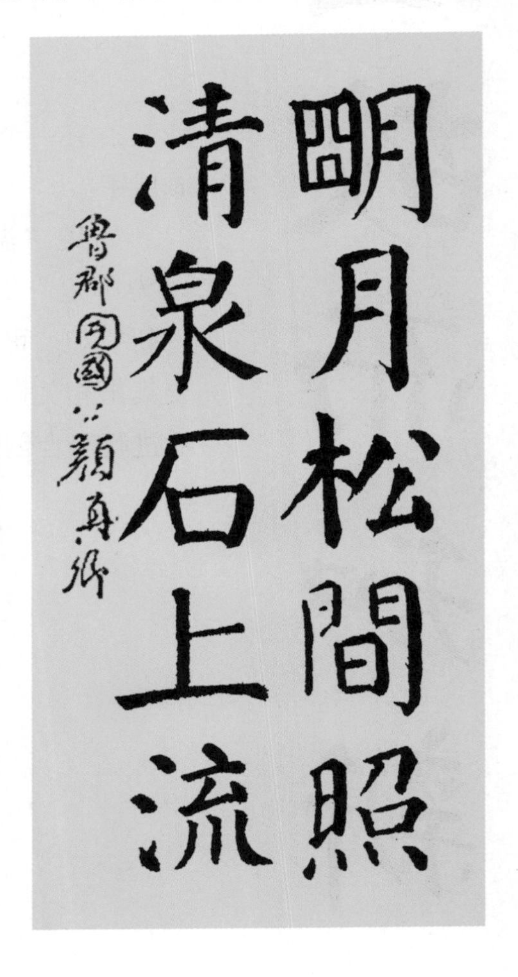

4. 根据结构规律和书体风格创作新的字。

例如，要集简化字“辽”和“礼”，先观察字形规律，“通”字走之底厚重，捺画短促，内部结构饱满，“辽”字参照写出。颜字另一规律是主笔厚重，收放明显，如“之”字，“礼”字参照写出，左部收紧，右部放松。

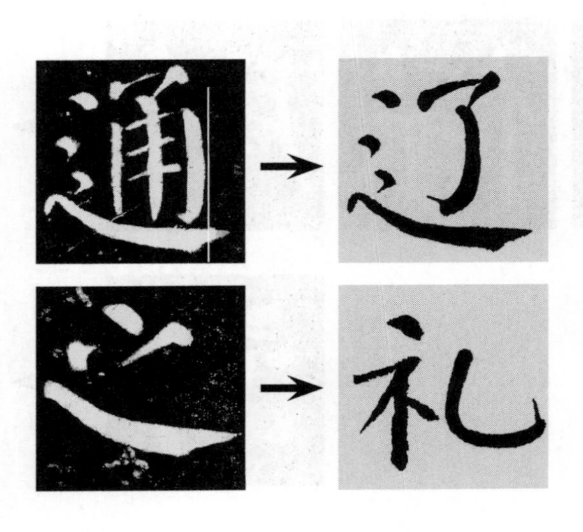

四、常用创作幅式（以《颜勤礼碑》为例）

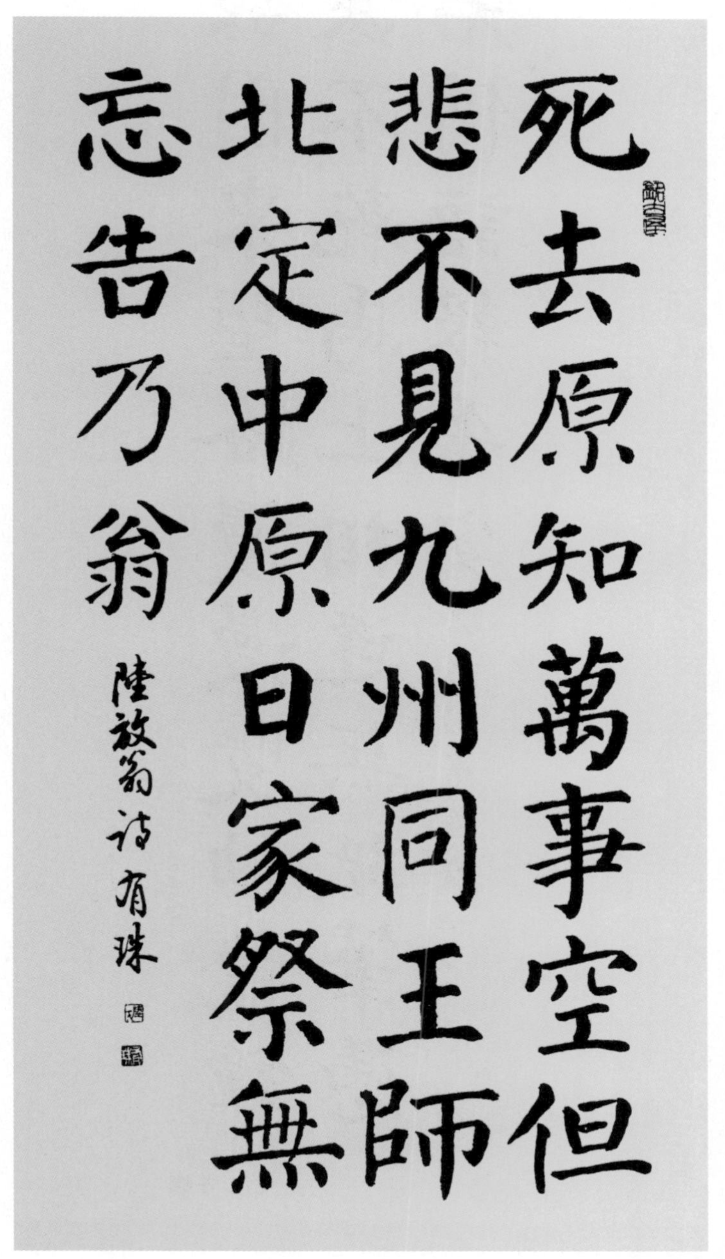

中堂

1. 中堂

特点：中堂通常挂在厅堂的中间或主要位置。一般把六尺及六尺以上整张宣纸叫大中堂，五尺及五尺以下整张宣纸叫小中堂。传统书法作品大多由上到下安排字距，由右到左安排行距。中堂也是从右到左排列，首行顶格，末行可以满格或不满格，但应避免单字成行。

款印：中堂的落款可跟在内容后或另行起行，根据款识内容可落单款或双款。落款和盖印都应视为书法作品的有机组成部分，印章可盖名号章和闲章，闲章有斋馆印、格言印、生肖印等。名号章钤在款识后，闲章一般钤在首行第一、二字之间。

故園東望路漫漫雙袖龍鐘淚不乾馬上相逢無紙筆憑君傳語報平安

条幅

2. 条幅

特点：条幅是长条形作品，如整张宣纸对开竖写，又叫单条或小立轴。根据内容可单行或多行书写，和中堂的书写形式相同。

款印：款有上款和下款，上款写受书人的名字（一般不冠姓，单名例外），下款署作者姓名或字号和书写作品的时间、地点等。上款不宜与正文齐平而应略低于正文一至二字。下款可以在末行剩下的空间安排，如末行剩下的空间少而左侧剩下的空间多，则在左侧落笔较好，但末字不宜与正文齐平，并且要注意留出盖印的位置。

横幅

3. 横幅

特点：把整张宣纸裁成横式的长条来书写。横幅的布局横写竖写均可，一般是只有一列的横写，有多列的竖写。

款印：落款的位置要恰到好处，多行落款可增加作品的变化，还可以对正文加跋语，跋语写在内容前。印章在落款处盖姓名章，起首部盖闲章。

四面湖山歸眼底

萬家憂樂到心頭

有珠

对联

4. 对联

特点：对联由上联和下联竖写构成，一整张宣纸对开或用两张大小相等的纸书写。

款印：对联落款和条幅相似，但上款落在上联右侧，下款落在下联左侧。落款的称呼要恰如其分，如果受书者的年龄较大，可称前辈或先生，或某某老、某某翁，相应地可用“教正”“鉴正”等；如果年龄和自己相当，可称同志、同学，相应地用“嘱”“雅嘱”等；如果是内行或行家，可称为“方家”“法家”“专家”，相应地用“斧正”“教正”“正腕”“正字”等。受书者的书写位置，应安排在上款，以示尊重和谦虚。

斗方

5. 斗方

特点：斗方是正方形的幅式。这种幅式的书写容易板滞，尤其是楷书，字间行间容易平均，需要调整字的大小、粗细、长短，使作品章法灵动。

款印：落款的时间一般用公历纪年，也可用干支纪年。月、日的记法很多，有些特殊的日子，如“春节”“国庆节”“教师节”等，可用上以增添节日气氛。书写者的年龄较大的如六十岁以上或年龄较小的如十岁以下，可特别书出，其他则没有必要书出。款印的格式甚多，但在实际应用中不应拘泥而全部套上，应视具体情况而定。

人閒桂花
落夜靜春山空
月出驚山鳥時
鳴春澗中
有珠

团扇

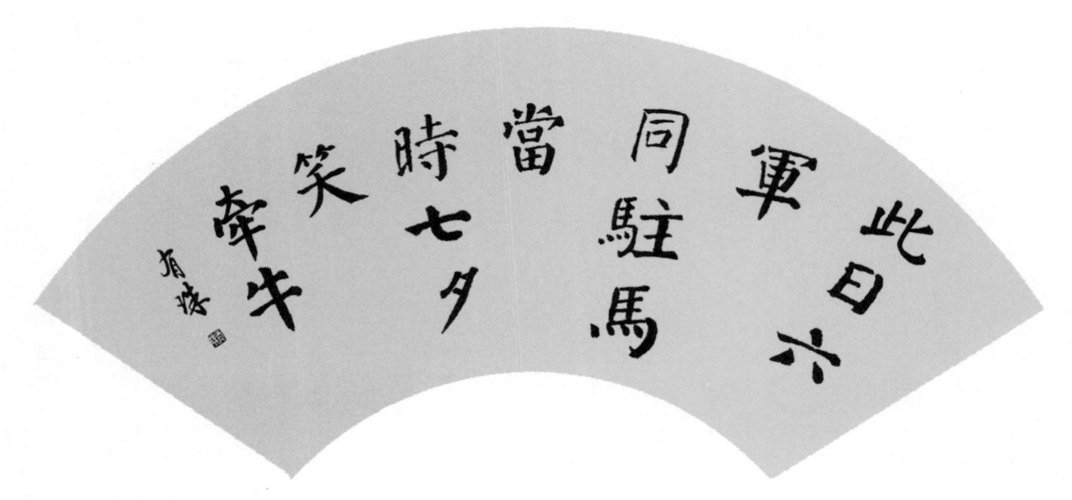

折扇

6. 扇面

特点：扇面分为折扇和团扇两类。折扇的幅式较特殊，它是弧形的幅面，一般用长短交错的行列来安排，落款可稍长；团扇则安排成圆形或近似圆形的形式。

款印：落款一般最多是两行，印章加盖方式可参考前面介绍的幅式。

寻隐者不遇

（唐）贾岛

松下问童子，言师采药去。

只在此山中，云深不知处。

松下問童子言師採
藥去祇在此山中雲
深不知處

賈島詩尋隱者不遇

子言師採
藥去祇在

此山中雲
深不知處

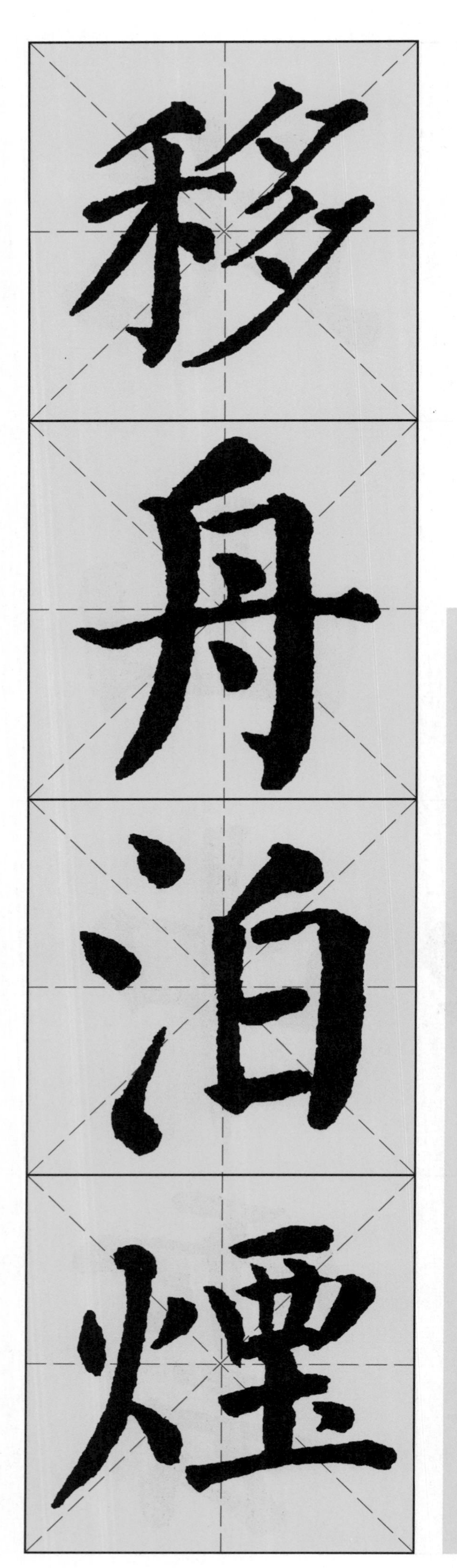

宿建德江

（唐）孟浩然

移舟泊烟渚，日暮客愁新。
野旷天低树，江清月近人。

移舟泊煙渚日暮客愁新野曠天低樹江清月近人

孟浩然詩 有珠

渚日暮客愁新野曠

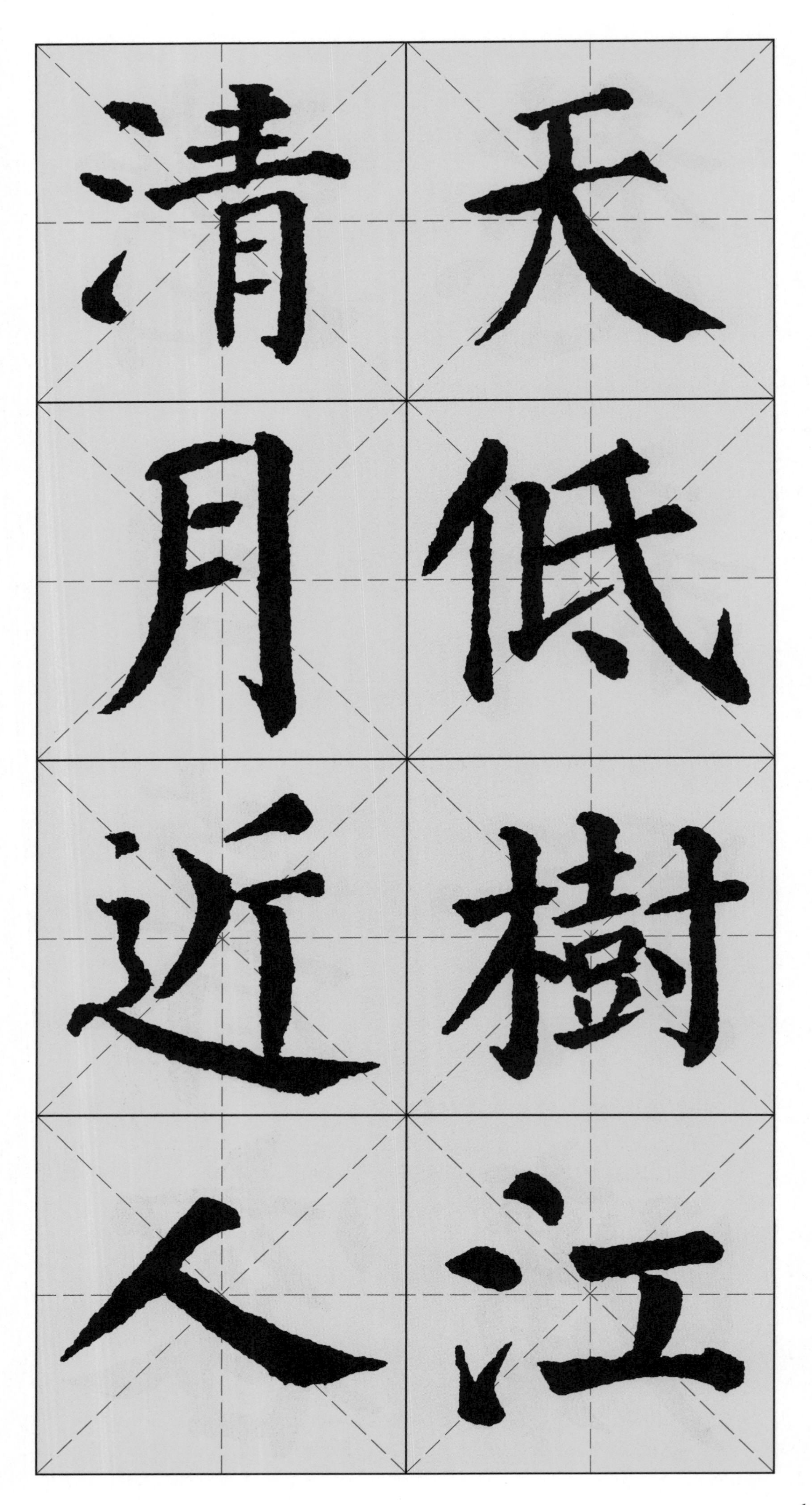
天低樹江
清月近人

朱絲聞岱谷鑠質本多
端半月分弦出叢花拂
面安將軍曾制曲司馬
屢陪觀本是胡中樂希
君馬上彈

李嶠詩一首 有珠

琵琶

（唐）李峤

朱丝闻岱谷，铄质本多端。
半月分弦出，丛花拂面安。
将军曾制曲，司马屡陪观。
本是胡中乐，希君马上弹。

朱絲闌岱
谷鑠質本

多端半月
分弦出叢

曲司馬屢
陪觀本是

胡中樂
君馬上彈

青
蓮
居
士

答湖州迦叶司马问白是何人

（唐）李白

青莲居士谪仙人，酒肆藏名三十春。
湖州司马何须问，金粟如来是后身。

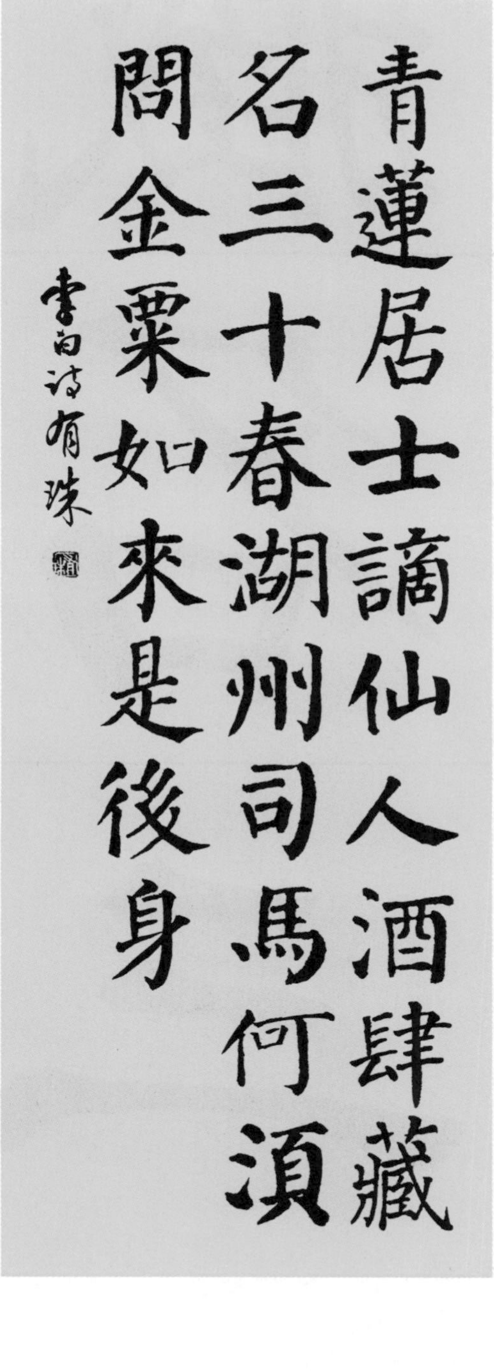

青蓮居士謫仙人酒肆藏名三十春湖州司馬何須問金粟如來是後身

李白詩 有臻

謫仙人酒
肆藏名三

十春湖州
司馬何須

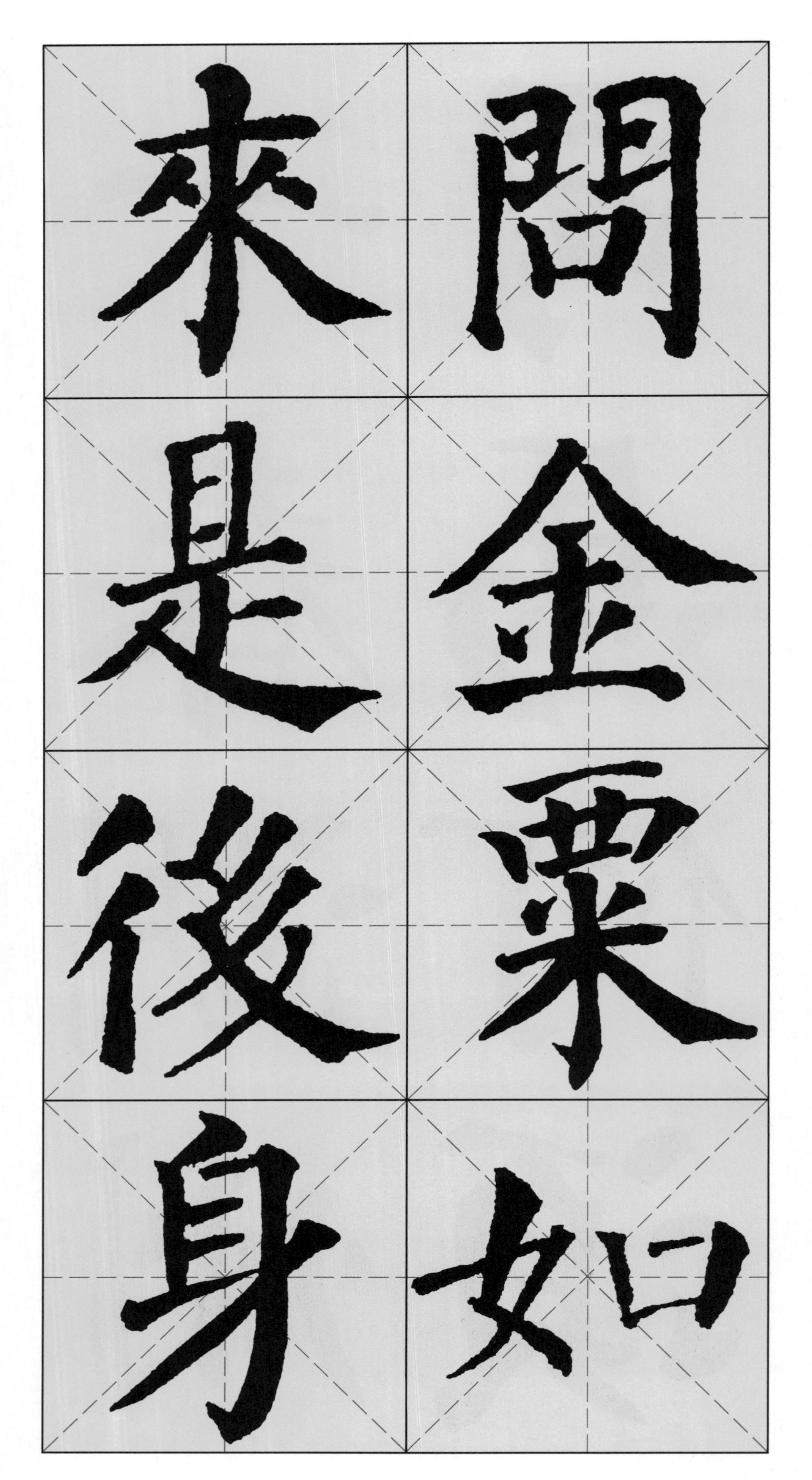
問金粟如
來是後身

静夜思

（唐）李白

床前明月光，疑是地上霜。
举头望明月，低头思故乡。

床前朙月光疑是地
上霜舉頭望朙月低
頭思故鄉

李白詩靜夜思 有珠

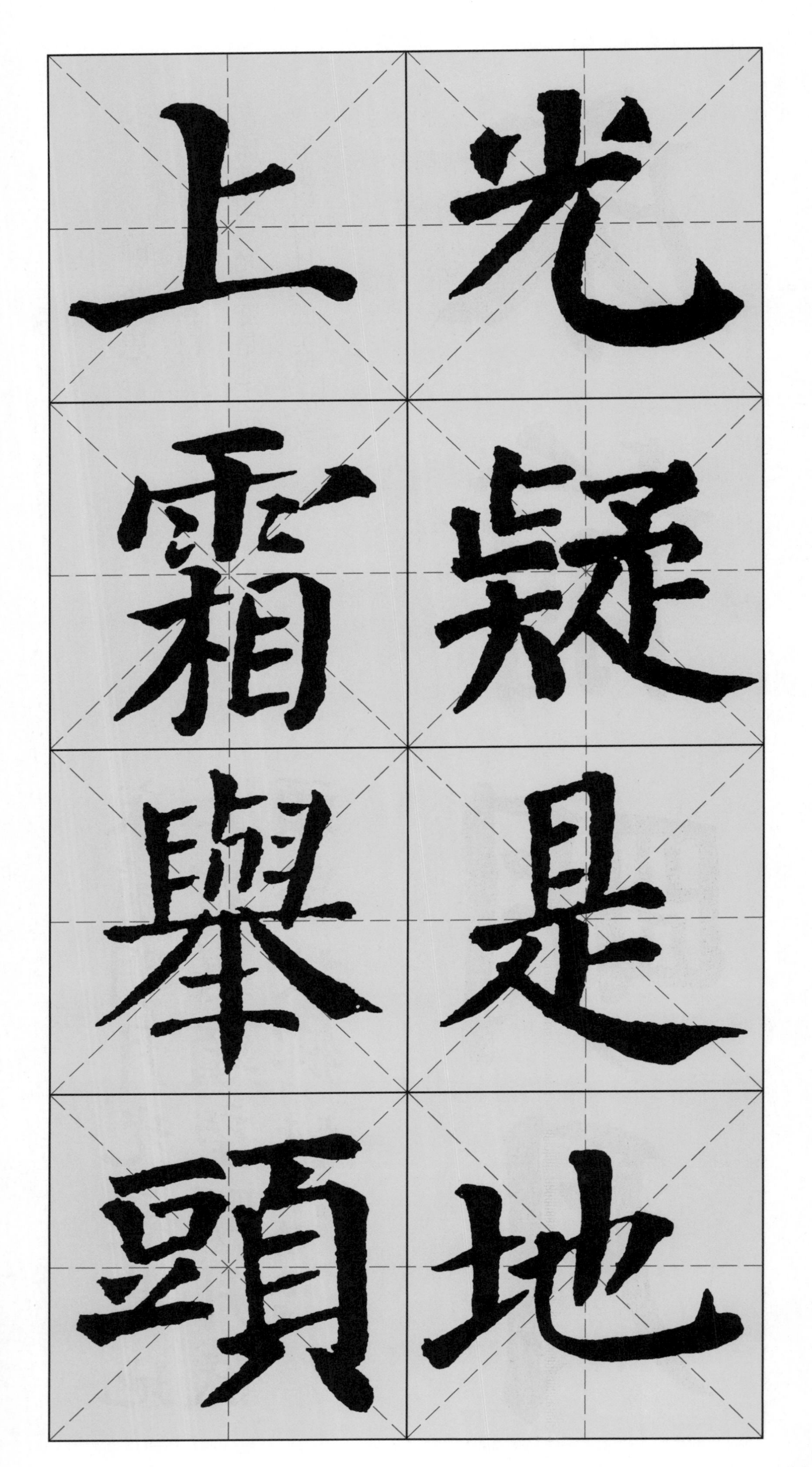
光疑是地
上霜舉頭

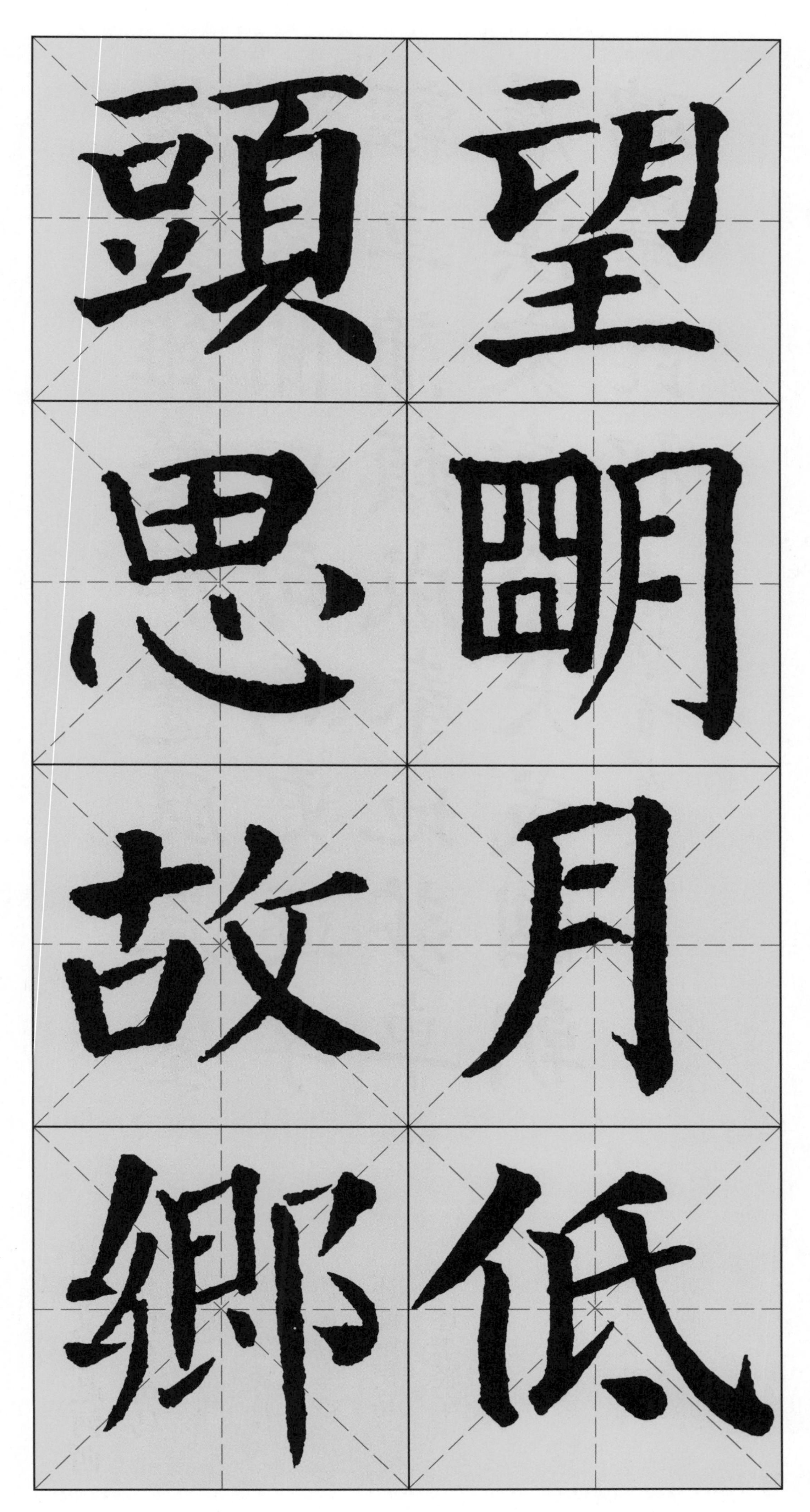
望明月低
頭思故鄉

橫吹雜繁笳邊風卷塞
沙還聞田司馬更逐李
輕車蒲類成秦地莎車
屬漢家當令犬戎國朝
聘學昆邪

王維詩一首 有珠

送宇文三赴河西充行军司马

（唐）王维

横吹杂繁笳，
边风卷塞沙。
还闻田司马，
更逐李轻车。
蒲类成秦地，
莎车属汉家。
当令犬戎国，
朝聘学昆邪。

橫吹雜繁
笳邊風卷

塞沙還聞
田司馬更

逐李輕車
蒲類成秦

地涉車屬
漢家當今

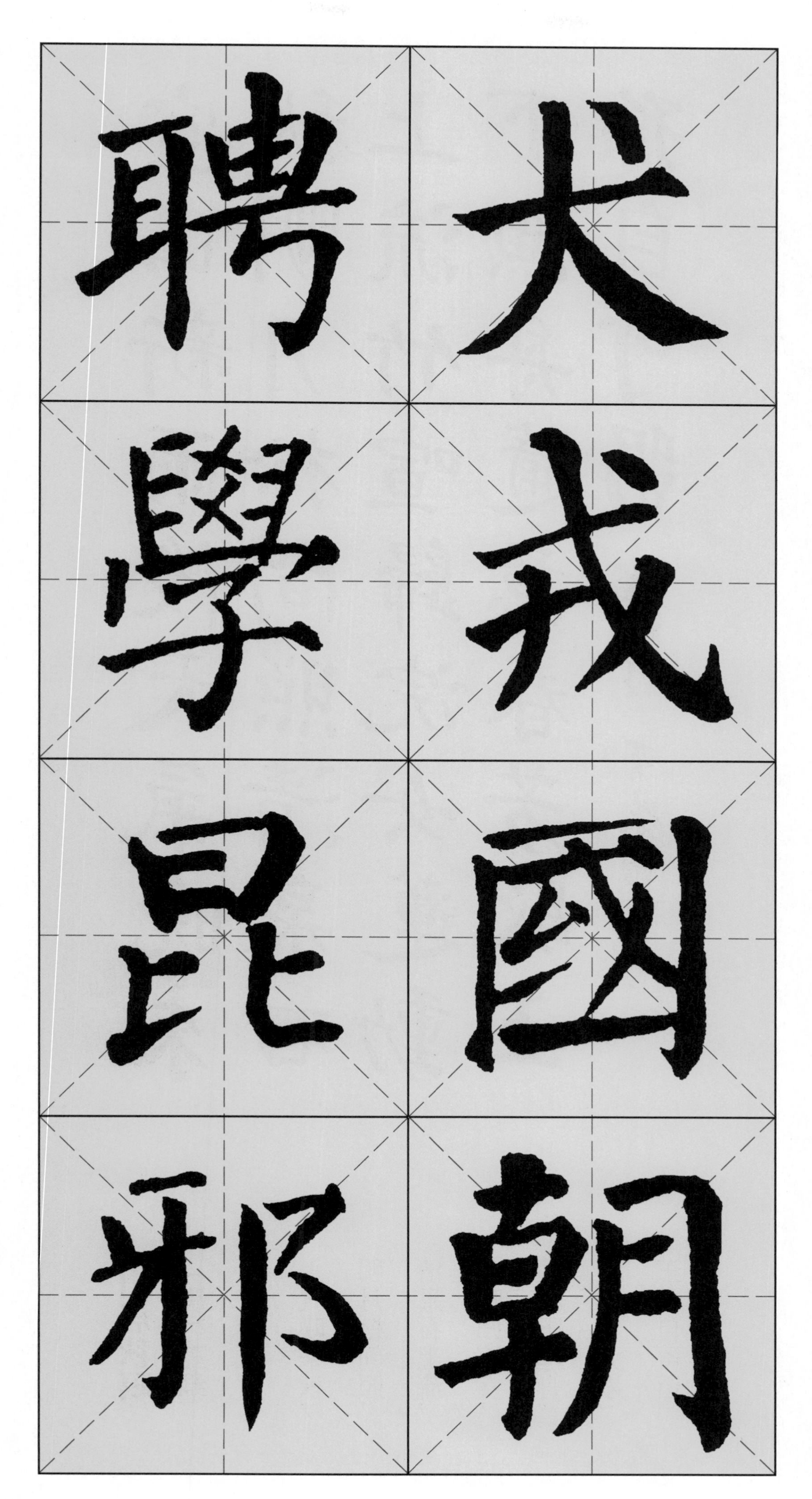

空山新雨後天氣晚来秋明月松間照清泉石上流竹喧歸浣女蓮動下漁舟隨意春芳歇王孫自可留

王維詩 有珠

山居秋暝

（唐）王维

空山新雨后，天气晚来秋。

明月松间照，清泉石上流。

竹喧归浣女，莲动下渔舟。

随意春芳歇，王孙自可留。

空山新雨
後天氣晚

來秋明月
松間照清

泉石上流
竹喧歸浣

女蓮動下
漁舟隨意

春芳歇王
孫自可留

塞下曲

（唐）卢纶

林暗草惊风，将军夜引弓。
平明寻白羽，没在石棱中。

林暗草驚風將軍夜
引弓平明尋白羽没
在石棱中

風將軍夜
引弓平明

寻白羽没
在石棱中

山中

（唐）王勃

长江悲已滞，万里念将归。
况属高风晚，山山黄叶飞。

長江悲已滯萬里念
將歸況屬高風晚山
山黃葉飛

王勃詩山中
丙戌夏月 有珠

滯
萬
里
念
將
歸
況
屬

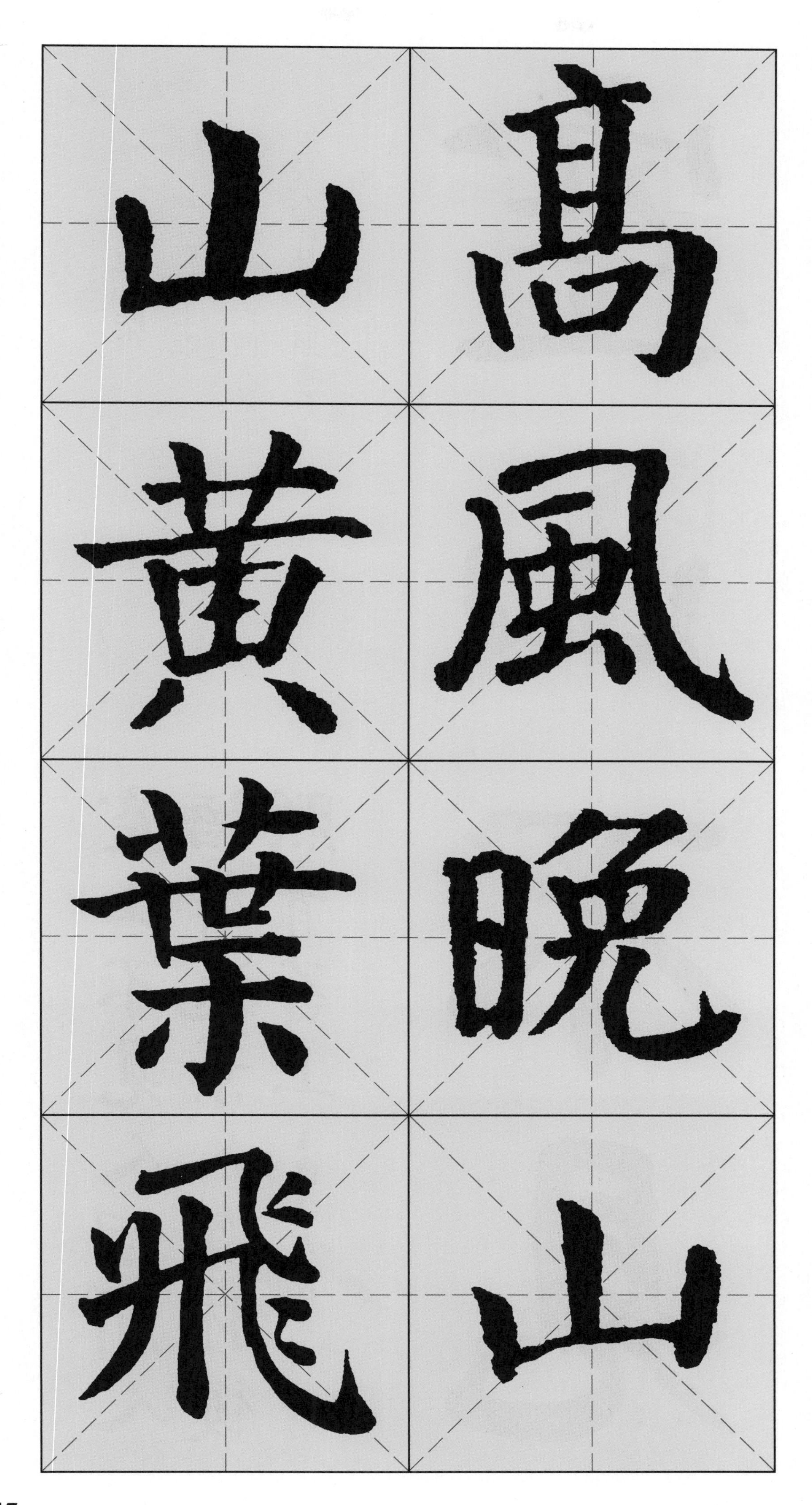

高風晚山
山黃葉飛

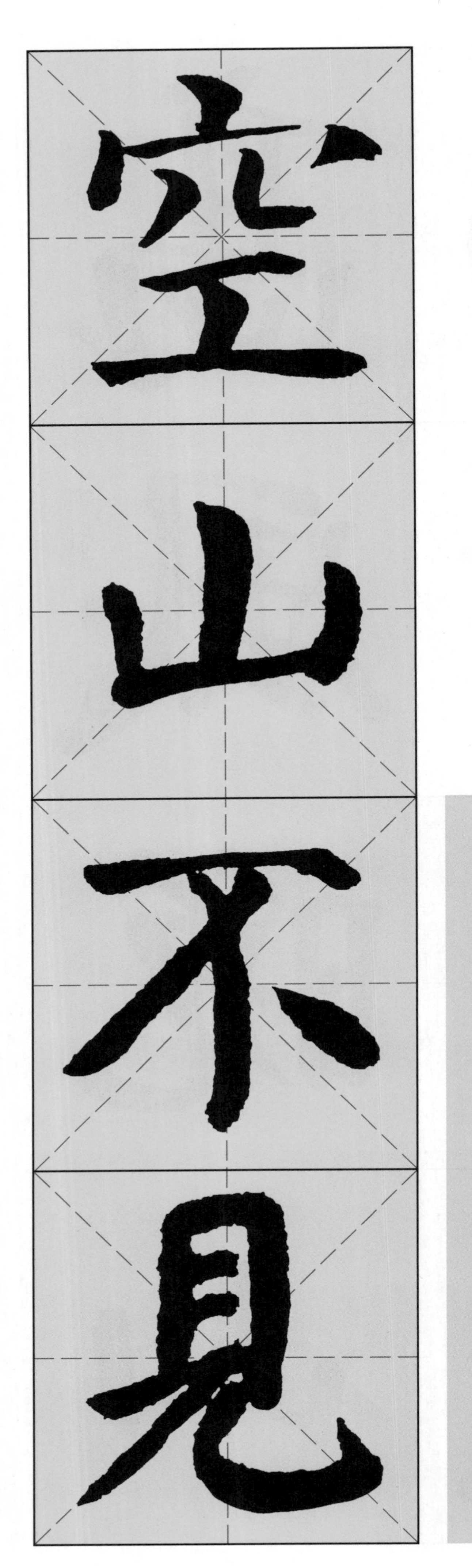

鹿柴

（唐）王维

空山不见人，但闻人语响。

返景入深林，复照青苔上。

空山不見人但聞人語響返景入深林復照青苔上

王維詩 有珠

人但聞人
語響返景

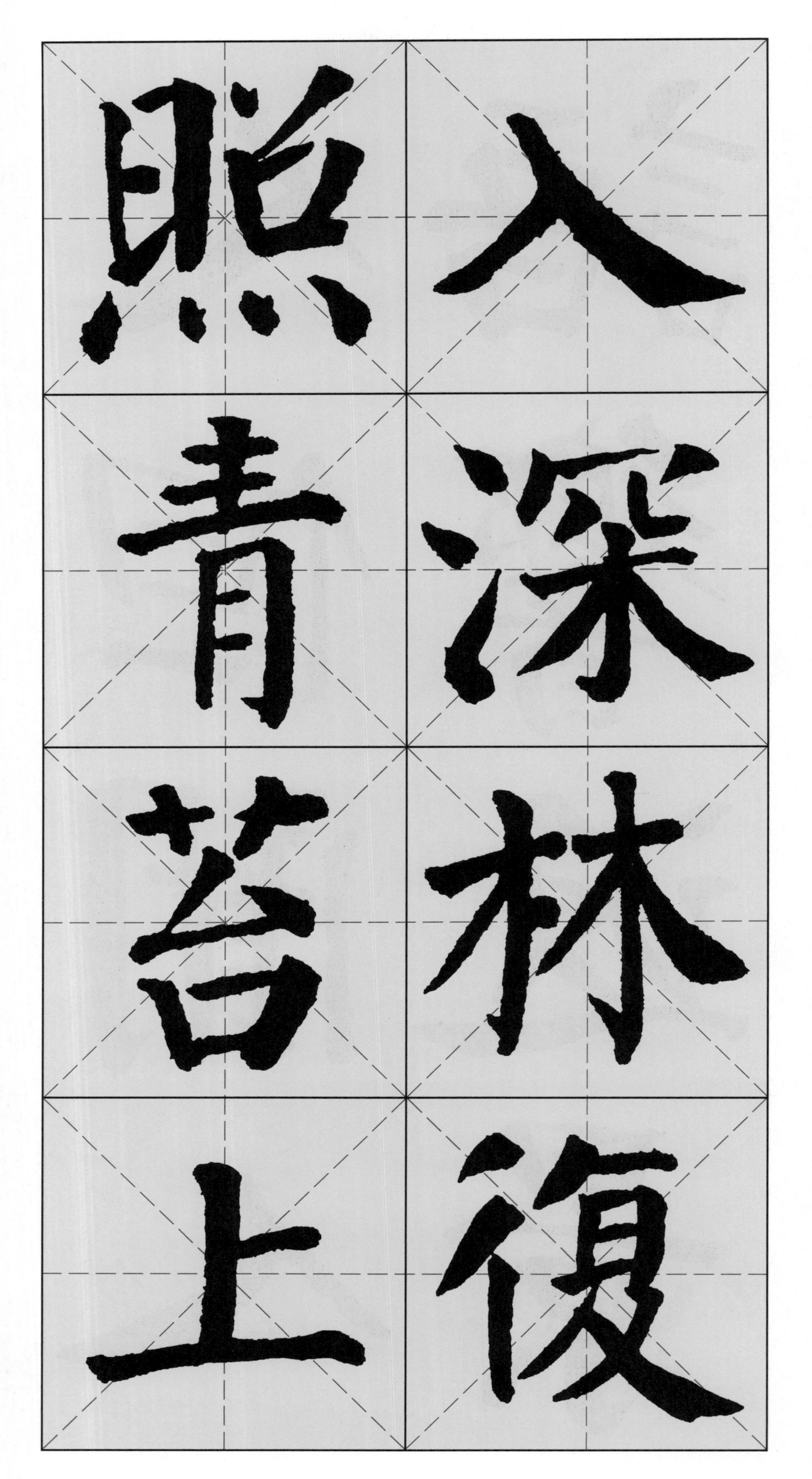
入深林復
照青苔上

寒食

（唐）韩翃

春城无处不飞花，
寒食东风御柳斜。
日暮汉宫传蜡烛，
轻烟散入五侯家。

春城無處不飛花寒食東
風御柳斜日暮漢宮傳蠟
燭輕煙散入五侯家

韓翃詩寒食 丙戌 贊有珠

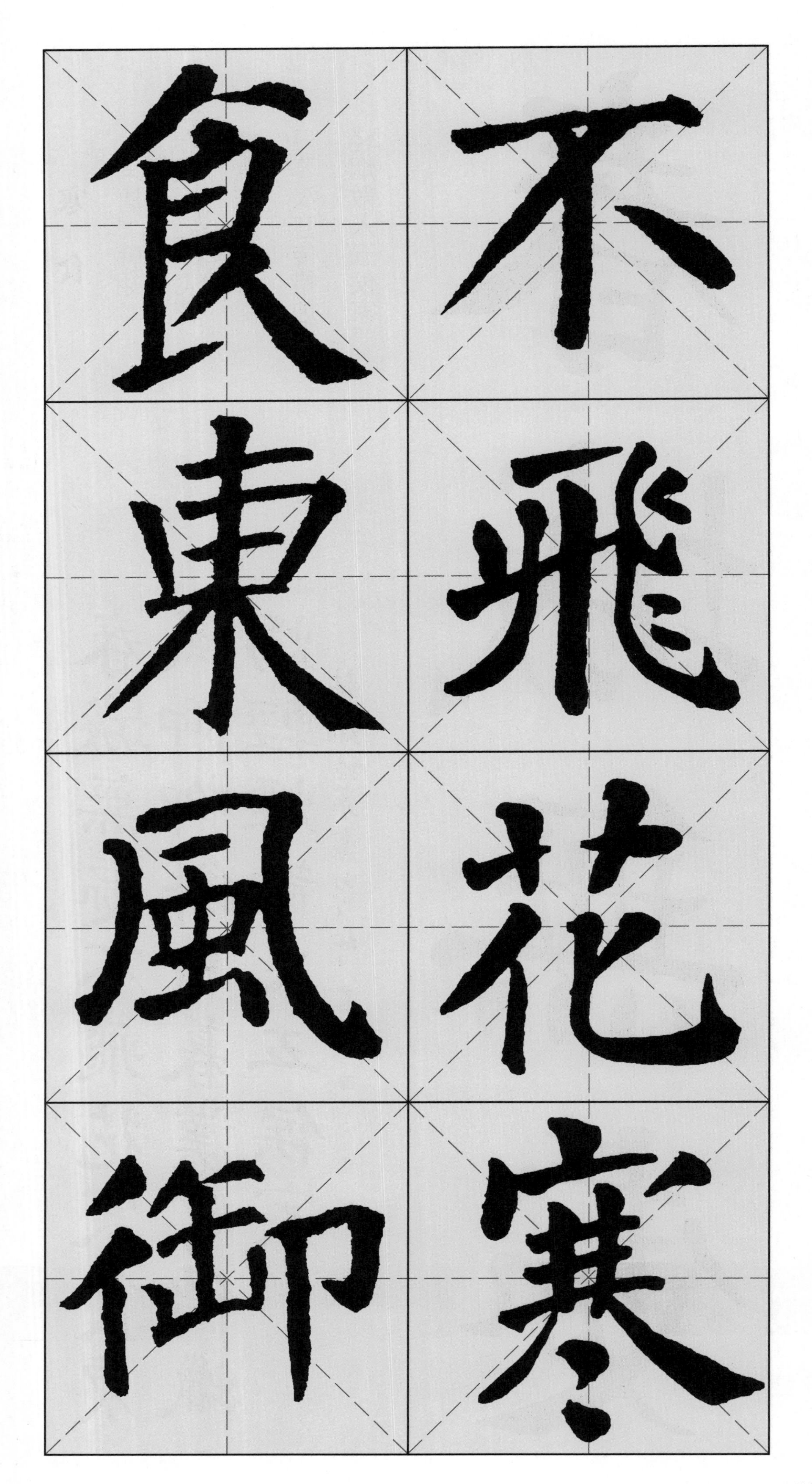
不飛花寒
食東風御

柳斜日暮
漢宮傳蠟

燭輕煙散
入五侯家

望天门山

（唐）李白

天门中断楚江开，
碧水东流至此回。
两岸青山相对出，
孤帆一片日边来。

天門中斷楚江開碧水東
流至此回兩岸青山相對
出孤帆一片日邊來

李白詩一首 方珠

楚
江
開
碧
水
東
流
至

此回兩岸
青山相對

出孤帆一
片日邊來

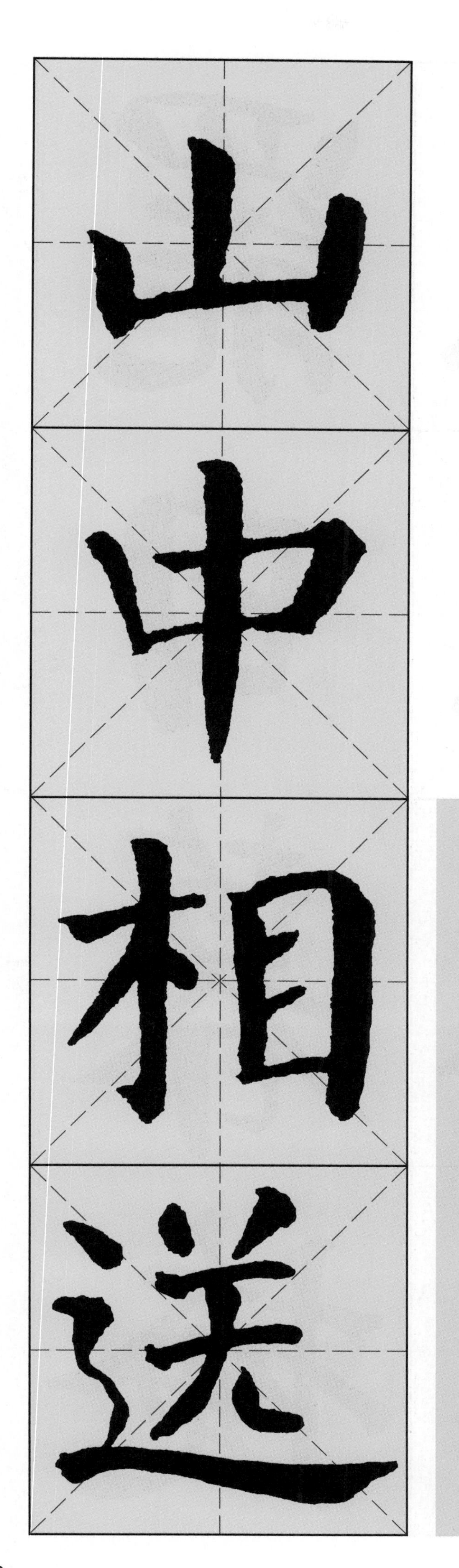

送别

（唐）王维

山中相送罢，日暮掩柴扉。
春草年年绿，王孙归不归？

山中相送罷日暮掩
柴扉春草年年綠王
孫歸不歸

王孫
歸不
歸

出塞

（唐）王昌龄

秦时明月汉时关，
万里长征人未还。
但使龙城飞将在，
不教胡马度阴山。

秦時朙月漢時關萬里長
征人未還但使龍城飛將
在不教胡馬度陰山

王昌齡詩

漢時關萬
里長征人

未還但使
龍城飛將

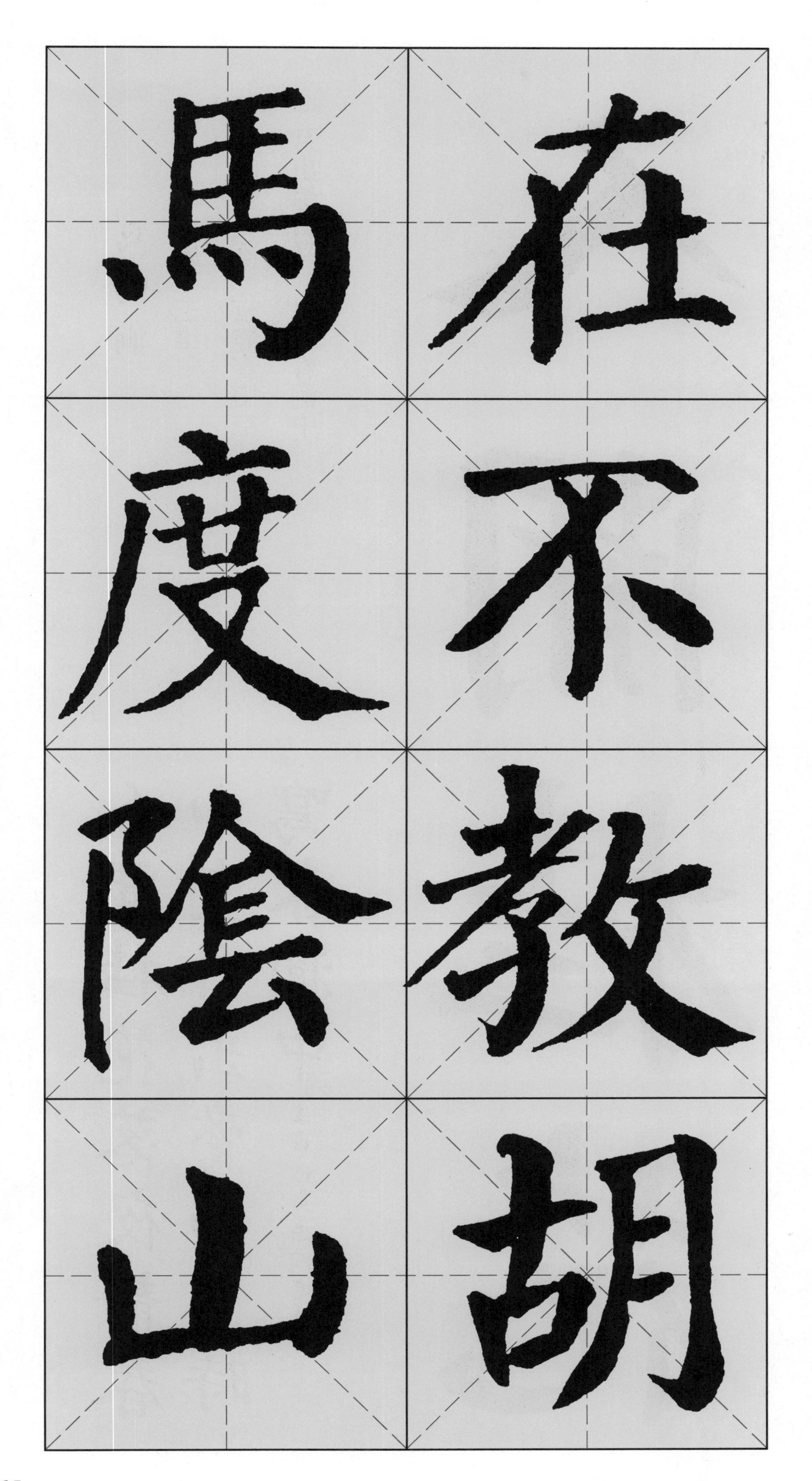
在不教胡
馬度陰山

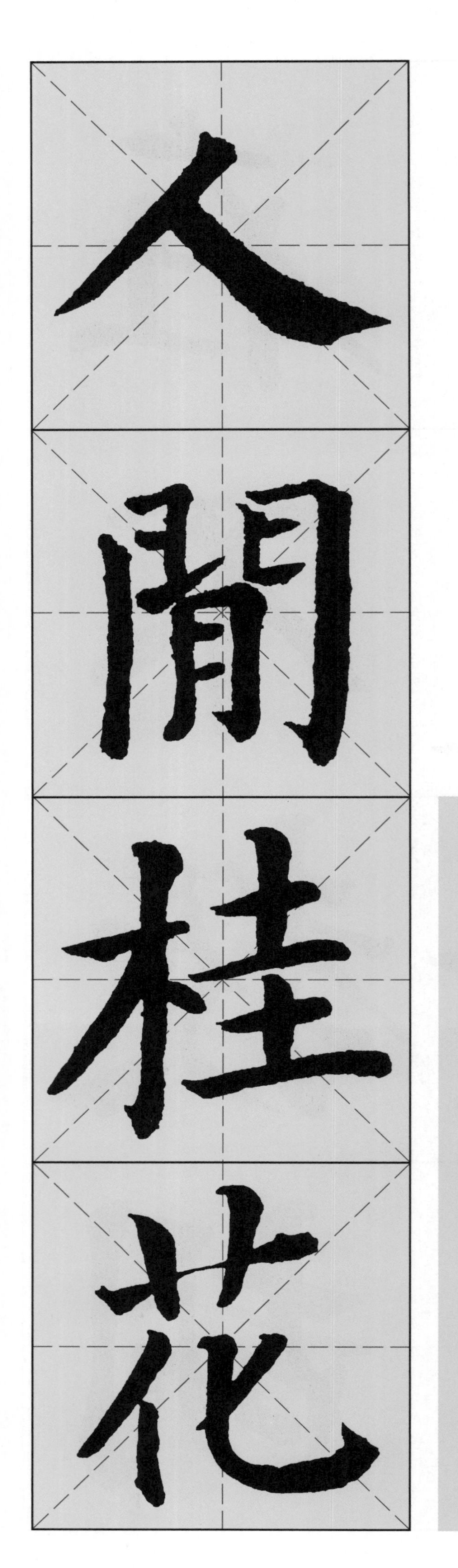

鸟鸣涧

（唐）王维

人闲桂花落，夜静春山空。
月出惊山鸟，时鸣春涧中。

人閒桂花落夜靜春
山空月出驚山鳥時
鳴春澗中
王維詩鳥鳴澗 有珠

落夜靜春
山空月出

驚山鳥時
鳴春澗中

赠花卿

（唐）杜甫

锦城丝管日纷纷，半入江风半入云。
此曲只应天上有，人间能得几回闻。

錦城絲管日紛紛半
入江風半入雲此曲
祇應天上有人間能
得幾回聞

杜甫贈花卿詩 有珠

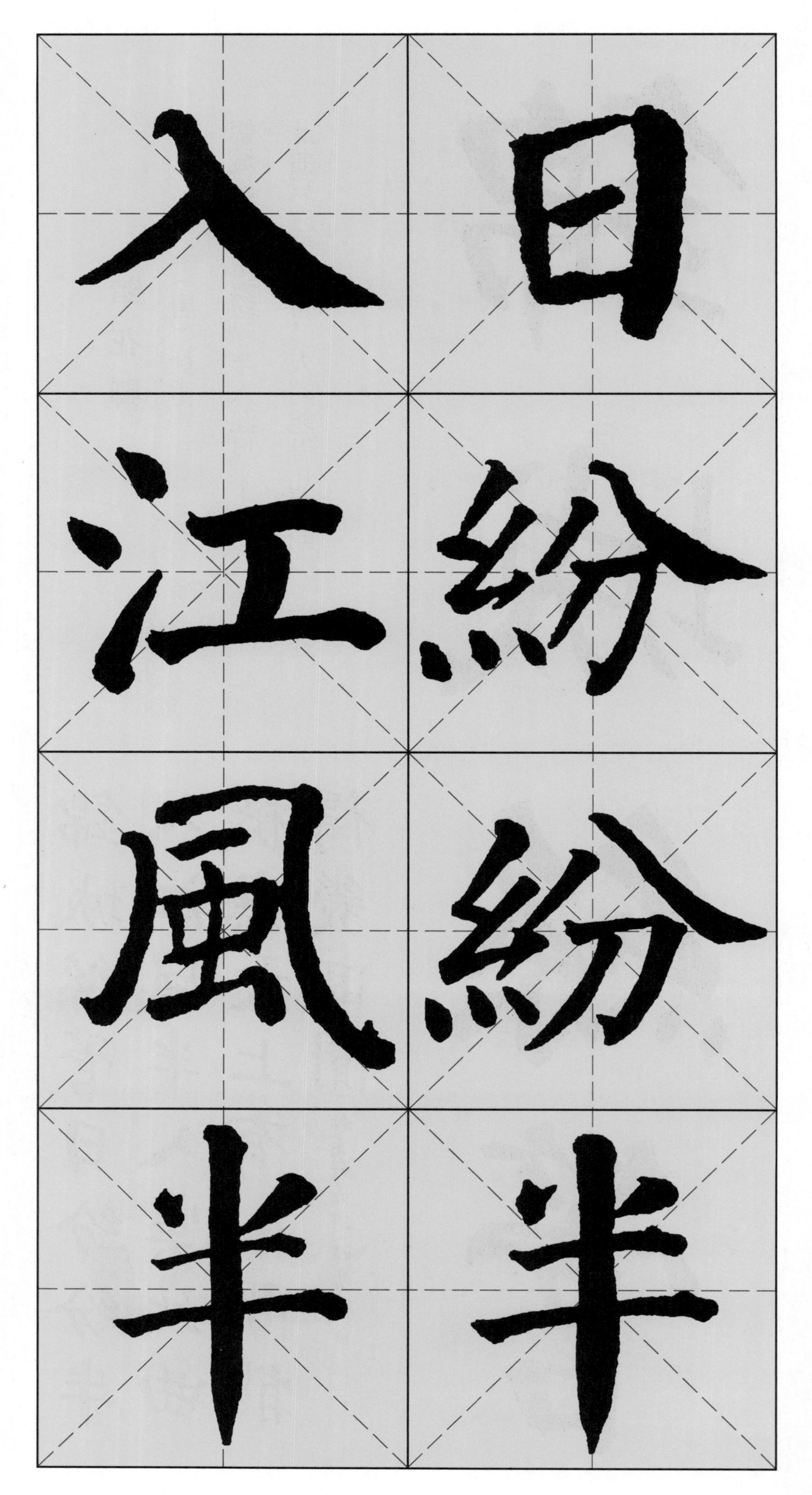
日
紛
紛
半
入
江
風
半

人
祇
雲
應
此
天
曲
上

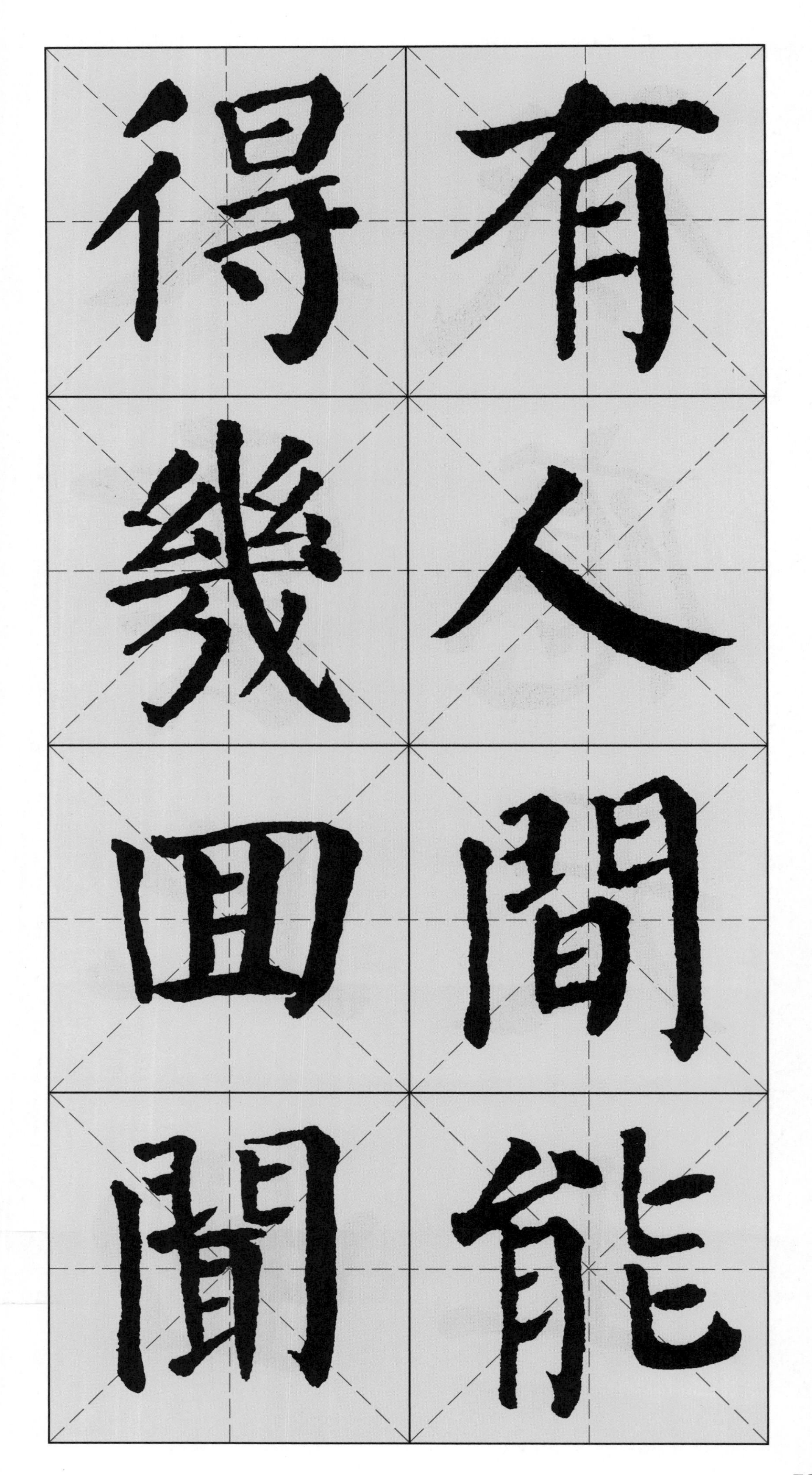
有人間能
得幾回聞